T3-BUW-223

Un cuento ¡grrr!

Bosque de Duraznos 127-2° Piso,
Bosques de las Lomas,
México, D.F. CP 11700

Primera edición, octubre de 2012

Dirección editorial: Lorenza Estandía González Luna
Edición: Aline Hermida Cortés
Diagramación: Alfonso Reyes Gómez
Ilustraciones: Juan Gedovius

Impreso por Cargraphics, S.A. de C.V.
Impreso en México – *Printed in Mexico*
Primera impresión, octubre de 2012

CC: 29005341
ISBN: 978-607-722-067-1

Un cuento ¡grrr!

Graciela Bialet

Ilustraciones de

Juan Gedovius

www.librerianorma.com

Bogotá, Buenos Aires, Caracas, Guatemala, Lima, México, Panamá, Quito, San José, San Juan, Santiago de Chile

Para Mario, siempre en mi corazón.

¡OFFFFF...!

—¡Síiiiii!

—¡YUPIIIIIIIIIIIIIIIIIIII!

—¡Abu! ¿Ahhh?

–UUUFFFFFFFF

—¡Mmmmmmmmmmmmmmmm...

—¡Maaasaaaa!

—¡Pa...! ¿Un cuento?

¡Rrrrrrrrrrrrrrrrrrrrrrrrrrrrrrrrrrrrrrrrr
¡Rrrrrrrr!

—¡UFFFFFFF

FFFFFFFFFFFFFFFFFFFFFFFFFFFFFFFF!

—¡Bah!

–¿Vaaaa...?

—¡Oh!

—¡Oh!

¡Ey! ¡Ey! ¡Ey!

y! ¡Ey! ¡Ey! ¡Cuidado!

¡GGGRRRRR

RRRRRRRRRRR!

—¡Ups!

—¡Hey!
¡A lavarse
las manos!

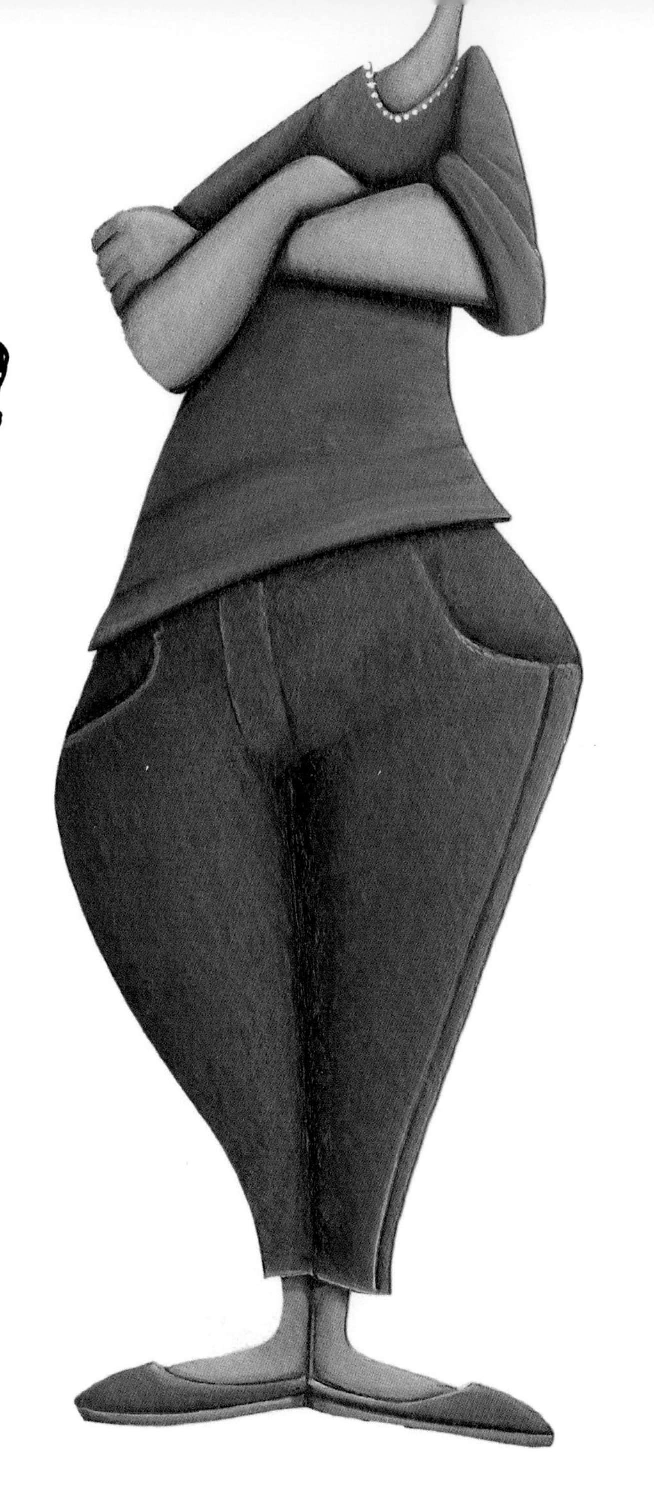

-¡Tomi! ¡Ya! ¡A comeeeer!

¡Gulp!

—¿Ahora síiii...?

–¡Uy!

¡PLOF!

¡PLIF!

¡PLAF!

¡POM!
¡PIM!
¡PAM!

—¿Y toooooooooo esoooo...?

—¡¿Para qué?!

-¡Para comerlos mejoooooor!

Un cuento ¡grrr!
se teminó de imprimir en el mes de octubre de 2012
en los talleres de Cargraphics, S.A. de C.V.
Aztecas 23, Col. Santa Cruz Acatlán
Naucalpan de Juárez, Estado de México
C.P. 53250, México